MW01713693

© 1995 The Walt Disney Company © 1995 Le Livre de Paris-Hachette
Loi n° 49 956 du 16 07 1949 sur les publications destinées à la jeunesse
ISSN : 0154.7224
ISBN collection : 2 245 00525-2 ISBN ouvrage : 2 245 030 43-5
Dépôt légal : janvier 1996
IMPRIMÉ EN ITALIE PAR LA GEP, CRÉMONE

Disney présente

Cendrillon

LE LIVRE DE PARIS-HACHETTE

Il était une fois, dans un pays lointain, une très jolie fillette. Elle vivait avec son père, qui était veuf, dans une agréable maison. Son père se remaria pour qu'elle ne grandisse pas seule.

Malheureusement son père mourut peu après. La nouvelle mère de la jeune fille, une marâtre, se mit alors à la traiter bien durement. Avec ses deux filles, Anastasie et Javotte, qui étaient aussi laides que méchantes, Lady Tremaine fit de la douce enfant leur servante.

Elles ne l'appelèrent plus que Cendrillon car elle vidait tous les jours les cendres des cheminées.

Un beau matin,
un messager
très distingué apporte une lettre portant le sceau royal.

Lady Tremaine s'empresse de l'ouvrir et de la lire. Elle appelle aussitôt ses filles :

« Anastasie ! Javotte ! Le Roi donne un grand bal au château, en l'honneur de son Altesse le Prince... Toutes les jeunes filles à marier devront lui être présentées ce soir... »

« Puis-je vous y accompagner ? » demande Cendrillon.

Ses vilaines sœurs pouffent de rire. « Toi ? Au bal ? Regarde-toi ! tu n'es qu'une souillon ! Tu ferais peur même à un monstre ! »

Cendrillon se défend.
« Mais sa Majesté invite toutes les jeunes filles en âge de se marier. Donc, je suis invitée ! »

« Hum ? ! Oui, c'est exact ! » reconnaît Lady Tremaine avec un sourire cruel. « Au fond, je ne vois pas pourquoi tu n'irais pas… Si tu as terminé tout ton travail… et si tu trouves une robe convenable à te mettre… »

« Oh ! Merci ! » répond Cendrillon, reconnaissante. Et elle se précipite vers sa petite chambre, sous les toits.

Là, elle retrouve ses amies les souris, Gus et Jaq. Comme toutes les souris et tous les oiseaux, elles aiment beaucoup la gentille Cendrillon.

« Pourquoi es-tu si joyeuse ? » lui fait comprendre Jaq en couinant…

« Je suis invitée au bal du château, comme toutes les jeunes filles du royaume ! Le Prince doit choisir parmi elles sa future épouse. »

« Hourra », semblent dire les souris toutes en chœur.

« C'était la robe de ma
pauvre maman… Elle est
démodée… Je crois
pouvoir l'arranger ! »
se dit Cendrillon en mettant
la robe devant elle.
« Avec quelques rubans,
elle sera convenable ! »
Mais comme la jeune fille
sort sa boîte à couture, une
voix impérieuse retentit
dans l'escalier :
« Cendrillon ! Descends ici, tout de suite ! »

Cendrillon, le cœur serré, abandonne à regrets ses projets de couture pour rejoindre la cuisine.

« Tu laveras le carrelage, et puis les fenêtres ! » lui ordonne sa marâtre.

« Mais je l'ai déjà fait hier », proteste Cendrillon.

« Qu'à cela ne tienne, recommence ! »

Et Cendrillon se met tristement à l'ouvrage. Mais la marâtre veille ; dès qu'elle termine une tâche, elle lui en invente une nouvelle. Sans parler des deux sœurs qui la dérangent continuellement :

« Cendrillon, trouve-moi mes souliers ! »

« Cendrillon, où as-tu mis mon peigne ? »

« Cendrillon, où as-tu rangé mon écharpe ? »

« Je crois que je n'irai pas au bal, songe Cendrillon découragée. Elles ne me laisseront pas le temps de préparer ma robe ! »

« Pauvre enfant, comme elles la traitent mal ! Elles lui font faire tout leur travail », ronchonne Gus.

« C'est terrible, elle n'aura jamais fini sa robe à temps », ajoute Jaq.

Soudain une souris s'adresse à ses sœurs : « Retouchons nous-mêmes la robe de Cendrillon ! Nous devrons avoir terminé avant qu'elle

ne revienne ! Elle n'aura plus qu'à s'habiller ! »

Les souris s'occupent de trouver des ciseaux, du fil et des aiguilles, tandis que Gus et Jaq se faufilent dans la chambre des deux sœurs occupées à se pomponner pour le bal.

Malgré leur garde-robe somptueuse, elles se plaignent et le sol est jonché de robes et de parures.

« Ah non ! Je refuse de porter cet affreux ruban de soie », proteste Javotte en le jetant rageusement par terre.

« Ce collier de perles ne va pas du tout à mon cou délicat », grogne Anastasie en le laissant tomber négligemment à ses pieds.

Jaq attrape le ruban de soie et Gus le collier de perles.

« Silence, murmure Jaq, si nous réveillons Lucifer, nous sommes perdus. » Elles se hâtent jusqu'à la chambre de Cendrillon où tout le monde s'active gaiement.

« Regardez ! s'écrie Gus, tout fier, voici un ruban de soie et un collier de perles ! »

« Avec ça, la robe de Cendrillon sera sûrement la plus belle de toutes », s'extasie Jaq.

Une souris mesure…
et un oiseau coupe…
Un oiseau plisse…
et une souris coud…
C’est un dur labeur pour de si petits animaux, car les ciseaux sont bien lourds et les tissus bien grands. En revanche, l’enfilage des aiguilles et la couture sont une vraie partie de plaisir.

Pendant ce temps, Cendrillon doit aider les sœurs à ajuster leurs robes, mais son esprit est occupé par ce qui l'attend dans sa chambre.
« Vous êtes prêtes, mes filles ? » demande la marâtre.

« Et toi, Cendrillon ? » s'étonne-t-elle, hypocrite.
« Hélas non, répond la pauvrette, je n'ai pas eu le temps de retoucher ma robe ! »
« Quel dommage ! » ricanent les sœurs.

« Oui, nous regretterons ta présence au bal », ajoute la marâtre avec un sourire ironique.

Et toutes trois, hautaines, détournent la tête, laissant Cendrillon rejoindre sa chambre, le cœur lourd.

« Ce n’est pas grave ! Ce bal sera certainement très long et très ennuyeux… Oh ! J’aurais tant aimé y aller ! »

Elle en a les larmes aux yeux en ouvrant la porte de sa chambre.

« Oh ! Mais... est-ce bien ma robe ? Elle est merveilleuse ! Qui a pu réaliser ce prodige ? » s'exclame-t-elle ravie. « C'est nous ! » piaillent et couinent tous ses petits amis. Cendrillon se dépêche de rejoindre ses sœurs.

Heureuse de se voir si belle dans sa robe, Cendrillon descend en hâte l'escalier.

« Attendez-moi ! crie-t-elle. Ma robe est prête ! N'est-ce pas qu'elle est jolie ? »

La marâtre et ses filles fixent Cendrillon avec consternation. Où a-t-elle pu dénicher cette robe ?

Soudain les deux filles reconnaissent leurs parures.

« Oh ! Mon ruban de soie ! » hurle Javotte en tirant brutalement sur les pans de la robe.

« Ces perles sont à moi », siffle Anastasie en lui arrachant le collier dont les perles se répandent sur le sol.

D'un seul coup, la robe de Cendrillon se retrouve en lambeaux !

« Cette tenue convient beaucoup mieux à ton rôle de servante », déclare la marâtre.

« Venez, mes filles, le Prince vous attend ! »

Et elles partent pour le château, laissant derrière elles Cendrillon en pleurs.

Ses petits amis ont assisté à la scène.

« Comme elles sont méchantes », soupire Gus.

« Et laides », ajoute Jaq. « Hélas, il est trop tard pour réparer ce gâchis à présent. »

Désespérée, Cendrillon se précipite dans le jardin, suivie des petites souris qui voudraient tant calmer son chagrin.

« Ce n’est pas juste, j’avais tant rêvé d’aller au bal, sanglote-t-elle. Jamais plus je n’aurai cette chance. »

« Ne perds jamais l'espoir, mon enfant ! » murmure une douce voix à l'oreille de Cendrillon.

Surprise, elle lève les yeux et aperçoit près d'elle une vieille dame qui lui sourit tendrement.

« Qui êtes-vous ? » s'étonne Cendrillon en séchant ses larmes.

« Je suis ta Marraine, la Fée ! répond-elle. Je suis venue exaucer ton souhait. »

Elle regarde attentivement autour d'elle.

« Ai-je bien tout ? Récapitulons... une citrouille, un cheval, un chien et... Oh ! J'allais oublier les souris. »

« Sauvons-nous vite ! » s'écrie Jaq. Et tout le monde détale dans le jardin. Mais la Marraine de Cendrillon est vraiment une fée.

Elle arrête les fuyards d'un coup de baguette magique.

« Voyons… la formule magique à présent », s'exclame la fée en réfléchissant.

« BIDDIBI-BOBBIDI-
BIDDIBI-BOO
CONDUISEZ CENDRILLON
AU BAL DU CHÂTEAU ! »

Tout en prononçant les mots mystérieux, La Bonne Fée agite avec grâce sa baguette. Une poussière étincelante éclaire soudain la nuit... Elle retombe d'abord sur les souris, qui se changent en quatre superbes chevaux, puis sur la citrouille, qui se transforme en carrosse, et enfin sur le cheval, qui devient un élégant cocher. Quant à Pataud, le chien, le voici transformé en laquais...

« Monte dans ton carrosse, mon enfant, et amuse-toi bien au bal ! », dit la fée.

« Mais… ma robe, Marraine ? » demande-t-elle dans un souffle.

« Oh, j'oubliais ta robe. Je vais arranger ça ! »

La baguette magique tournoie maintenant autour de ses haillons, les changeant peu à peu en une robe féerique. De délicats souliers en verre apparaissent à ses pieds menus, Cendrillon ressemble maintenant à une princesse.

« Du fond du cœur, je vous remercie, Marraine », dit-elle.

« Dieu te bénisse, mon enfant », répond la fée en poussant Cendrillon dans le carrosse. « Mais n'oublie pas : le sortilège cessera au douzième coup de minuit. Tu redeviendras alors Cendrillon. »

« Je ne l'oublierai pas », promet Cendrillon.

Et le bel attelage s'élance
à vive allure vers le château.

Au château, la fête bat
son plein, mais le Roi
n'a pas l'air satisfait.

« Le Prince a déjà dansé avec la moitié des jeunes filles du royaume, sans en trouver une seule à son goût. Je crains de n'avoir jamais ni bru, ni petits-enfants. »

« Votre Majesté ne manque-t-elle pas un peu… de patience ? » réplique le Grand Duc.

C'est alors que Cendrillon entre dans la salle de bal. Tous les regards se tournent vers la jeune fille, y compris ceux du Prince qui se dirige, médusé, vers cette apparition.

« Voulez-vous m'accorder cette danse ? » demande-t-il en s'inclinant respectueusement.

À partir de cet instant, le Prince subjugué ne danse plus qu'avec elle, oubliant toutes les autres prétendantes.

« Qui cela peut-il être ? »

« Quelqu'un la connaît-il ici ? »

Les invités s'interrogent, tandis que le Roi les contemple, un large sourire aux lèvres.

« Comme elle est belle », murmure-t-il au Grand Duc.

Mais le temps passe vite
et minuit approche.

Hâte-toi, Cendrillon,
il est l'heure de rentrer !

Affolée, Cendrillon descend en courant le grand escalier… Et y perd un de ses souliers de verre.

Le Prince s'élance à
sa poursuite, mais Cendrillon
a déjà disparu.

Tout ce qui reste de la
jeune fille, c'est ce
charmant soulier de verre
qu'elle a perdu et qu'il
rapporte au Grand Duc.

« J'épouserai la jeune
fille qui chaussera ce
soulier.

Retrouvez-la, je vous
en prie ! »

Au douzième coup de minuit, le sortilège prend fin. Cendrillon se retrouve assise sur une citrouille, en haillons, avec quatre souris, un vieux cheval, un chien… et un soulier de verre.

« C'est le plus beau jour de ma vie », soupire-t-elle.

Dès le lendemain, le Grand Duc commence à parcourir le royaume avec le soulier de verre qui trône sur un coussin de brocart. Aucune des nombreuses jeunes filles qui se pressent pour l'essayer ne réussit à y enfiler son pied. Mais Cendrillon apprend la quête du Grand Duc et laisse éclater une joie qui paraît suspecte à sa belle-mère.

« Je vais enfermer
Cendrillon dans
sa chambre»,
décide la marâtre,
inquiète.

Les fidèles Gus et Jaq
ont tout vu et entreprennent
de sauver leur amie.

La marâtre a beau
dissimuler la clé
dans sa poche...
rien n'arrête
les hardis
compagnons.

Ils dérobent
la clé et
la hissent
à grand peine
jusqu'au sommet
de l'escalier, pour
la glisser enfin
sous la porte
de leur amie.

Le Grand Duc arrive. La marâtre se réjouit déjà : elle est sûre qu'une de ses filles chaussera le soulier de verre.

Javotte essaie le soulier
la première, mais…
son pied est bien trop long.

Puis, c'est le tour
d'Anastasie, mais…
son pied est bien trop large.

« Y a-t-il d'autre jeunes
filles dans votre maison ? »
interroge le Grand Duc.
« Non », répond la marâtre,
déçue et furieuse.
« Mes filles ne peuvent-elles
faire un dernier essai ? »

À cet instant, Cendrillon descend les marches. « Qui est-ce ? » demande le Grand Duc surpris. « Ce n'est qu'une humble servante, Monseigneur », dit Lady Tremaine.

Soudain, le soulier de verre glisse du coussin sur le sol, se brisant en morceaux, au grand soulagement de l'affreuse marâtre. Cendrillon a-t-elle perdu sa dernière chance ?

Heureusement, Cendrillon sort de dessous son tablier le deuxième soulier de verre. Il lui va parfaitement.

Enchanté, le Grand Duc annonce alors à Cendrillon que le Prince désire l'épouser et l'invite à le suivre au château.

Quelques jours plus tard, le mariage princier est l'occasion de fêtes magnifiques dans tout le royaume.

Et naturellement, tous les fidèles amis de Cendrillon en sont les invités d'honneur.